Les Araignées monstres

Mille mercis au Conseil des arts du Nouveau-Brunswick pour la bourse de création qui m'a permis d'explorer un nouveau genre littéraire.

Les Éditions du Boréal remercient le Conseil des arts du Canada pour son soutien financier ainsi que le Fonds du livre du Canada (FLC).
Canada

Les Éditions du Boréal sont inscrites au Programme d'aide aux entreprises du livre et de l'édition spécialisée de la SODEC et bénéficient du Programme de crédit d'impôt pour l'édition de livres du gouvernement du Québec.
Québec ⬛⬛

Diffusion au Canada : Dimedia
Diffusion et distribution en Europe : Volumen

Catalogage avant publication de Bibliothèque et Archives nationales du Québec et de Bibliothèque et Archives Canada

Bourget, Édith, 1954-

    Les araignées monstres

    (Rouge Tomate ; 5)
    (Boréal Maboul)
    Pour enfants de 6 ans et plus.

    ISBN 978-2-7646-2475-3

    I. Lindsay, Jessica, 1984- . II. Titre. III. Collection : Bourget, Édith, 1954- . Rouge Tomate ; 5. IV. Collection : Boréal Maboul.

PS8553.O854A722   2017   jC843'.6   C2017-940002-9
PS9553.O854A722   2017

ISBN PAPIER 978-2-7646-2475-3
ISBN PDF 978-2-7646-3475-2
ISBN EPUB 978-2-7646-4475-1

Les Araignées monstres

texte d'Édith Bourget
illustrations de Jessica Lindsay

Boréal Maboul

1

Une faim d'ogre

Moi, Tom, alias Rouge Tomate, dix ans trois quarts, j'ai toujours besoin d'aventures. Et ce matin, il m'en manque une.

Assis dehors dans l'escalier avec Alex et Robin, je m'ennuie un peu. À part les mouches qui s'énervent autour de nous, tout est d'un calme plat. Je tente une proposition.

— On pourrait sillonner le quartier et compter les nains de jardin.

— Les nains de jardin ! s'exclame Alex.

— Pourquoi pas, réplique Robin. Ce sera

sûrement plus amusant que de regarder pas-
ser les autos.

Nous enfourchons nos montures. Au pre-
mier tour du quartier, nous repérons trois
nains. Nous repartons pour une autre tournée. Quatre. Nous n'avions pas vu celui de
tante Mathilde, ma gentille voisine aux
allures de sorcière. Il était camouflé derrière
un arbuste.

Pas terrible, comme aventure. En tournant le coin de ma rue, nous apercevons Jasmine et Zoé. Les deux inséparables pestes sont avec Réglisse et Chocolat ! Leurs chiens fous adorent courir après les vélos.

— Ah, non ! s'écrie Robin, qui a peur de tout.

Aussitôt, les molosses s'élancent. Pour rassurer notre copain, Alex et moi, nous nous plaçons de chaque côté de lui, comme des gardes du corps. Nous pédalons à fond, tous les trois de front, pendant que les filles rient de nous.

— Réglisse et Chocolat ont besoin d'exercice ! Merci d'être passés !

Rouge de colère, je me retourne pour leur lancer :

— Besoin d'exercice ? N'importe quoi !

Après un moment, les chiens cessent de nous poursuivre.

— Sauvés ! s'exclame Alex une fois en face de chez moi.

— Ça creuse, une course pareille, dis-je. J'ai une faim d'ogre.

— Moi, ça m'a coupé l'appétit. Pourquoi Jasmine et Zoé sont-elles si méchantes avec nous ? demande Robin d'une voix tremblante.

— Mystère ! Et si on se donnait la mission de le résoudre ? dis-je.

— Oui, il le faut, sinon, on n'aura jamais la paix, ajoute Alex.

— D'accord. On se rejoint chez toi, Robin. Alex, crois-tu que Julie pourra venir ?

— Je lui demanderai.

Je rougis, plein d'espoir. Je l'aime, moi, Julie.

— Super ! Dans une heure, chez Robin.

Il y a au moins un mystère facile à élucider : celui de la composition de mon sandwich. J'entre. Maman est dans la cuisine.

— Sauve-moi, maman chérie. Je meurs de faim, que je lance en m'affalant sur une chaise.

Elle éclate de rire.

— Toujours aussi bon comédien ! Il y a tout ce qu'il faut dans le frigo, me répond-elle en me faisant une pincette au menton.

— Je suis à l'agonie !

— Tu survivras, s'esclaffe-t-elle. Quelle belle occasion de développer ton autonomie ! Je dois partir. Ton père est dehors. Bye.

Aucune pitié ! Dire que j'aurais pu me reposer en pensant à Julie pendant que maman me préparait mon sandwich préféré. Tant pis ! Je m'y mets. Pain, jambon, concombres, tomates, fromage et du ketchup, du ketchup et encore du ketchup. On ne me surnomme pas Rouge Tomate pour rien. Je suis accro à ce condiment. Il n'y en a jamais assez. Là, la dose est bonne parce qu'à la première bouchée, cet élixir dégouline sur mes doigts. Je les lèche sans gêne. Pas de gaspillage. Délicieux !

Ding dong !

Zut !

— Attends-moi ici, mon bon sandwich.

Zut et rezut ! Un vendeur de stylos ! Je crie à travers la porte :

— On n'a besoin de rien, merci !

Puis je cours rejoindre mon délice. Mais juste avant que je morde dedans, une énorme mouche en sort, les ailes gluantes de ketchup. Beurk ! L'ogre que je suis n'a plus faim du tout. Direction poubelle. Dire que j'ai failli la manger. C'est dégoûtant. Même avec du ketchup.

2

La peur de Robin

À notre arrivée chez Robin, nous le trouvons assis dans les marches devant sa maison. Il est dans tous ses états. Julie, la jumelle d'Alex, celle que j'aime, est avec nous. Notre ami nous raconte tout.

— J'étais sur le canapé. J'écoutais une émission sur les tarentules à la télévision. Les araignées me dégoûtent et, vous le savez, elles me font surtout très peur.

— Pourquoi écoutais-tu ça alors ? demande Julie.

— J'aimerais vaincre ma peur, moi.

— Et aussi celle des chiens, j'imagine, ajoute Alex.

— Je n'ai peur que de ceux de Jasmine et de Zoé. Ils aboient tellement fort.

— Tu as raison, dis-je d'une voix apaisante. Continue.

— Je m'étais promis d'être courageux devant les images. J'étais hypnotisé par l'écran. Une grosse tarentule avançait vers un criquet. Le monstre se préparait à se jeter sur sa proie.

— Je n'aurais pas aimé être le criquet, murmure Alex.

— Moi non plus! Je me forçais à regarder.

— Que s'est-il passé ? demande Julie, impatiente.

— La tarentule s'est élancée. Au même moment, j'ai aperçu une énorme araignée sur l'accoudoir du canapé. Elle n'était qu'à trois poils de mon coude. J'ai bondi. Je suis allé près de la télé. Et là, j'en ai vu une autre qui se promenait en haut de l'écran.

Pour réconforter Robin, je mets ma main sur son épaule. Je le regarde dans les yeux avec compassion.

— Ouf! Les chiens, puis les araignées. Ce n'est pas une bonne journée pour toi, pauvre Robin.

— Vraiment pas, reprend Robin, blanc comme un drap.

Je déteste voir mon copain comme ça.

— Nous allons réussir à te guérir de ta peur des araignées. Il le faut, dis-je, convaincu.

— Il y en a tellement ici, ajoute Robin, les larmes aux yeux.

Je ne lui parle pas de la mouche dans mon sandwich. Beurk ! Le problème de Robin est bien pire que le mien.

Impossible de laisser mon ami dans cet état. Je ne sais pas comment m'y prendre, mais il faut faire quelque chose ! Voilà une mission digne de Rouge Tomate. Je m'exclame, avec enthousiasme :

— Promis, nous allons régler tes deux

problèmes ! Un : nous découvrirons pourquoi Jasmine et Zoé sont comme ça avec
nous. Deux : nous t'aiderons à aimer les araignées.

— Jamais je ne les aimerai ! s'écrie Robin
d'une voix si forte que nous sursautons.

J'aimerais le convaincre de participer à
notre nouvelle mission. Mais comment ? Je
ne sais même pas de quelle manière nous
pourrions le guérir de sa peur. Pris de
panique, je regarde Julie. Ma belle comprend
aussitôt que j'ai parlé un peu vite. Elle me
sourit, me fait un clin d'œil, puis dit :

— Ouf ! Gros programme, Tom, mais j'ai
peut-être une solution. Venez chez moi,
continue-t-elle. Je vais vous expliquer.

Boum, boum, fait mon cœur. C'est fantastique. Comme Julie a déjà quelque chose à proposer, ça me donnera du temps pour réfléchir. Je trouverai sûrement ma propre idée, foi de Rouge Tomate ! Là, j'ai la tête un peu vide. Heureusement, ça ne dure jamais longtemps.

Nous suivons tous Julie. Robin aussi, mais à la vitesse d'un escargot.

3

L'idée de Julie

Julie s'intéresse à l'espace, comme moi. Elle aime les monstres aussi. Elle en dessine beaucoup. Elle s'inspire d'insectes. Elle regarde des images sur Internet et dans des livres, puis ajoute des éléments. Elle a beaucoup d'imagination.

— Pendant que vous étiez à vélo, j'ai commencé une collection d'insectes, nous apprend-elle en entrant dans sa maison.

— Vivants ? demande Robin. Tu as des araignées ?

— Une seule, mais les araignées ne sont

pas des insectes. Les insectes ont six pattes, les araignées huit. Ce sont des arachnides, comme les scorpions, précise Julie.

Je suis épaté par ses connaissances. La voilà devenue entomologiste !

— De la famille des scorpions ! J'ai raison de les fuir ! s'exclame Robin.

— Six ou huit pattes, ça n'a pas d'im-portance pour le moment, répond Alex.

— Je vais vous montrer ma collection.

— Pas l'araignée !

— Robin, si tu

veux vaincre ta peur, tu pourrais commencer par regarder mon araignée de loin. Elle est dans un pot fermé. Aucun danger.

Géniale, l'idée de Julie !

Petit à petit, elle a l'intention d'amener Robin à apprivoiser ce qui l'effraie. Je devine que la deuxième étape sera d'encourager mon copain à prendre le pot dans ses mains. J'espère que ma propre idée sera aussi brillante que celle de Julie ! En attendant, je m'exclame :

— L'opération Vive les araignées est lancée. Un jour, Robin, tu ne trembleras plus devant ces bestioles inoffensives.

À regarder mon copain, je vois que je suis plus enthousiaste que lui.

— Puisqu'il le faut, murmure-t-il. Je préférerais compter les nains de jardin tous les jours plutôt que ça.

— Tout se fera en douceur, dit gentiment Julie. Venez, on va d'abord à l'ordi.

Devant l'ordinateur, nous regardons des gros plans de mouches et d'araignées. De vrais monstres !

— Je croyais que toutes les mouches étaient pareilles ! dis-je, étonné.

— Tu n'observes pas beaucoup ce qui t'entoure, remarque Julie avec un sourire en coin qui me fait monter du rouge aux joues.

— Pas question de coller mon nez sur une araignée, même si elle est sur une image ! On devrait toutes les éliminer !

— Robin ! Les insectes et les araignées sont utiles dans la nature, répond Alex.

— Mais pas dans les maisons ! s'exclame Robin.

— Et encore moins dans les sandwichs remplis de ketchup !

Julie prend un air coquin en m'entendant.

— Un peu de protéines ne fait jamais de tort, Tom. J'ai déjà mangé des grillons à une dégustation à l'Insectarium.

— Dégustation, ayoye ! Est-ce qu'il y avait du ketchup au moins ?

Tout le monde éclate de rire, sauf Robin. Il fixe les pots sur la table basse. Près de la table, il y a Rosalie, la petite sœur des jumeaux. Curieuse, elle tend la main vers le contenant. Catastrophe ! Le pot tombe au sol et se casse.

Rosalie pleure.

L'araignée s'enfuit dans une craque du plancher.

Robin s'évanouit.

— Oups, c'est raté, dit Julie en prenant Rosalie dans ses bras.

Pendant qu'elle calme les pleurs de sa petite sœur, Alex et moi essayons de ranimer Robin.

— Il va falloir que j'attrape une autre araignée, constate mon amie.

— Tu la mettras dans un pot de plastique, dis-je, avec un clin d'œil.

4

Toujours peur

Le lendemain, Robin est encore ébranlé. Pour lui changer les idées, nous allons au terrain vague. Nous y inventerons une de nos aventures intergalactiques. Julie, qui souhaite se faire pardonner, lui offre des jujubes acidulés en forme de vers.

— Dommage qu'il n'y ait pas de jujubes araignées, dit-elle en les lui tendant.

Elle lui donne aussi un dessin de monstre ressemblant à une araignée. Robin y jette un œil, a un frisson, puis le laisse tomber par terre.

— C'est un dessin ! Pas une vraie araignée !

L'œuvre de ma copine est réussie, mais ce qu'il y a sur la feuille n'a rien de vivant ! L'attitude de Robin me dépasse. Je commence à trouver qu'il exagère. L'expression d'Alex et de Julie me confirme qu'ils sont de mon avis.

— Essaie de te contrôler un peu, Robin, supplie Alex.

— On dirait que ma méthode ne fonctionne pas vraiment, ajoute ma belle, d'un air désolé. Je croyais que plus tu verrais d'images d'araignées, plus tu t'habituerais à ces bestioles. Ça s'appelle une méthode de désensibilisation.

— Moi, je trouve que c'est génial comme idée, dis-je, en souriant à Julie.

— Je suis une poule mouillée. Vous, vous n'avez peur de rien. J'aimerais être comme ça, dit Robin, des larmes au bord des yeux.

— Tu sais, moi, je n'aime pas trop être dans le noir.

— C'est vrai, Tom ? demande Julie. Moi, le tonnerre m'effraie.

— Avant, je me mettais à courir quand je voyais une chenille. Maintenant, j'aime bien les observer, continue Alex.

Nos aveux ont de l'effet sur Robin. Courageusement, il se penche et ramasse le dessin coloré de Julie. Hésitant, il l'approche de ses yeux.

Je le lui arrache des mains avant qu'il ne voie l'énorme araignée au verso de la feuille.

— Qu'est-ce qui te prend ? questionne Julie.

Des aboiements répondent à ma place.

— Ah, non ! s'écrie Robin.

Je m'élance hors du terrain vague à la rencontre des deux cerbères et de leurs maîtresses. J'ai deux mots à leur dire, à ces filles.

À mon retour, Robin tient le dessin de Julie. La

vraie araignée n'est plus là. Ils me regardent tous, les yeux interrogateurs.

— Félicitations ! s'étonne ma jolie Julie. Comment t'y es-tu pris pour les empêcher de venir terroriser Robin ?

— Je suis un pro de la résolution de conflits, vous ne le saviez pas ? dis-je en baissant les yeux pendant que mes joues rougissent.

Je ne crois pas que mes copains approuveraient l'entente que j'ai conclue avec Jasmine et Zoé. Même si c'est pour le bien de Robin.

— On joue ou pas ? que je demande pour changer de sujet.

Mes copains n'y voient que du feu. L'avant-midi est formidable.

5

L'invasion

On dirait que notre cuisine est devenue un paradis pour les mouches. Notre aspirateur sert davantage à les attraper qu'à ramasser la poussière.

— Quatre de moins, lance papa en levant triomphalement le tuyau de l'aspirateur.

Je regarde le collant à mouches qui pend dans un coin de la cuisine. Même si j'ai mis beaucoup de ketchup sur mon pâté chinois, la vue de toutes ces mouches mortes me coupe l'appétit.

Je change de place.

— Chéri, laisse la toile d'araignée dans le coin, demande maman. Nous avons une alliée. Avec toutes ces mouches, elle aura de bons repas.

— Maman, si Robin voit une araignée, il va faire une crise.

— Il n'est pas guéri de sa peur ?

— Non. Nous tentons de l'aider. Je crois qu'il fait des efforts, mais ça ne fonctionne pas beaucoup. On essaie autre chose cet après-midi.

Je n'ajoute pas que j'ai trouvé d'autres alliées. Peut-être que l'idée de Jasmine et Zoé conjuguée aux nôtres permettront à mon copain de voir les araignées autrement ? Je sais ce que les filles préparent. Pas Alex ni Julie. J'espère qu'ils ne m'en voudront pas d'avoir agi sans les consulter. Nous formons une équipe, et je ne crois pas qu'ils accepteraient que Jasmine et Zoé en fassent partie. Mais là, j'ai besoin d'elles. Quand je leur ai expliqué comment se sentait Robin, elles ont tout de suite voulu collaborer. J'espère que je peux leur faire confiance.

— Attention ! Il y a une mouche près de ta viande, m'avertit maman.

— Ah, non ! Pas moyen de manger mon ketchup en paix !

— Les mouches sont aussi accros que toi, rigole papa.

Je ne le trouve pas drôle. Je me lève. Je mets mon assiette dans l'évier et je sors.

Moi qui adore l'été, je rêve de l'hiver. J'en ai assez de toutes ces petites bêtes. J'ai hâte aussi que Robin redevienne le vrai Robin. Sa peur est trop grande, elle a pris le dessus.

Je prends mon vélo pour aller chez ma jolie Julie. Je m'arrête un moment chez Jasmine. Zoé est là. Les chiens sont calmes. Les filles m'assurent que tout sera prêt.

Arrivé chez les jumeaux, je retrouve mes copains autour d'une table couverte de matériel de bricolage. Feuilles, crayons, boules de styromousse.

— On va fabriquer des araignées en pliant du papier. J'ai trouvé cette méthode japonaise sur Internet, m'apprend ma copine. Ça s'appelle de l'origami.

Je prends une feuille. Robin hésite.

— Allez Robin, encourage Julie, c'est pour ton bien. Dans une heure, on aura des tonnes d'araignées. On en fera avec des matériaux différents. Après ça, elles te sembleront peut-être moins terrifiantes. Leur forme, en tout cas.

En entendant Julie, je comprends que son idée est exactement dans le même esprit que le plan que j'ai préparé en secret : rendre les araignées banales.

— En plus, on aura pris de l'avance pour nos décorations d'Halloween, ajoute Alex, excité.

La leçon de pliage commence. Nous suivons les instructions de Julie. Les araignées

de papier s'accumulent. Robin semble se détendre. Une heure plus tard, mon copain rit avec nous et manipule les araignées de papier sans sourciller. C'est le moment de tester Robin.

Je mets la main dans ma poche. D'un geste vif, je la ressors et lance sur la table plusieurs araignées en plastique. Robin bondit en criant, puis se met à rire aux éclats. Les autres aussi.

— Même pas peur, dit-il, frondeur.

— Super !

Il a peut-être vraiment vaincu sa peur ! On verra…

— Ça vous tente un tour de vélo ? que je demande, les joues rougissantes. On pourrait refaire la tournée des nains de jardin. Julie n'était pas avec nous.

Je souris à ma chérie. Je dois convaincre la bande pour le bien de Robin. Mes joues rougissent encore plus. J'ai un peu honte de mes cachotteries. Ils acceptent.

— J'espère que les pestes et leurs chiens ne nous embêteront pas, maugrée Robin en arrivant à son vélo.

— Elles allaient à la piscine, dis-je.

Oups, j'aurais dû me taire.

— Comment tu sais ça ? relève Alex.

— Elles me l'ont dit au terrain vague, que je rétorque, sentant mes joues devenir rouge tomate mûre. On part ou pas ?

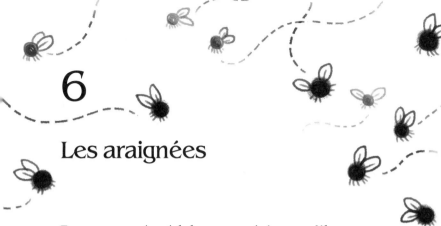

6

Les araignées

Je me mets à pédaler pour éviter qu'ils ne me posent d'autres questions. Je prends la tête, mes copains suivent. Nous passons dans une nuée de grosses mouches qui semblent vouloir nous avaler tout rond.

— La paix, les mouches ! rage Robin.

— Il faudrait d'immenses toiles d'araignée pour les attraper, dis-je en tentant de les chasser d'une main.

Puis, nous tournons le coin de la rue de Jasmine. Alors que nous approchons de sa maison, Julie s'exclame :

— Regardez !

Jasmine et Zoé m'avaient promis un décor impressionnant. Je n'en reviens pas ! Un grand filet ressemblant à une toile d'araignée pend du balcon au sol. Au centre, une immense araignée digne des meilleurs films d'horreur semble attendre des proies. Il y a aussi des filets sur les deux arbustes. Ils sont remplis de bestioles. Le gazon est jonché d'araignées en carton. Le nain de jardin en a même une comme chapeau !

— Tom ! Tu leur as dit que je détestais les araignées ! explose Robin. Pourquoi ? Elles vont maintenant me faire peur avec leurs chiens ET les araignées.

— Elles m'ont juré que non quand nous étions au terrain vague.

— Tu as manigancé ça avec elles en cachette ! Je doute qu'elles tiennent parole, remarque Julie.

— Il faudrait qu'elles changent beaucoup, ajoute Alex.

Je ne comprends pas leur réaction. La bande devrait se réjouir de la bonne idée des filles pour aider à la désensibilisation de Robin.

— Moi, je trouve que c'est une belle tentative de réconciliation, dis-je, les joues rouge coquelicot. Il faut leur donner une chance de se racheter, je crois.

Silence total. J'attends… Autour, les mouches bourdonnent.

— Bon, peut-être, chuchote finalement Alex.

— On va voir de près ? que je demande en jetant un œil à Robin.

Mes copains hésitent, puis ils descendent de leur vélo. Nous nous dirigeons vers le décor. Robin n'est pas trop hardi.

Soudain, deux araignées monstres apparaissent entre les arbustes et font tomber le nain de jardin. Tout va vite. Des pattes velues semblent voler autour de ces araignées géantes. Elles foncent droit sur nous. Elles vont attaquer. Nous sommes tétanisés tous les quatre. Robin est blanc. Je ferme les yeux au moment où la plus grosse araignée va me sauter dessus. Je vais mourir.

Et là, j'entends rire, puis aboyer et siffler. Les bêtes se taisent. J'ouvre les yeux. Jasmine et Zoé sont là.

— Aimez-vous les déguisements de Réglisse et de Chocolat ? demande Zoé, pendant que sa complice relève le nain de jardin.

Elles semblent fières de leur coup et de leurs chiens. Elles ne m'avaient pas tout révélé ! Je me suis fait prendre comme les autres ! J'observe les chiens araignées qui trottinent autour de nous. L'illusion a fonctionné à cause de l'effet de surprise.

Un des chiens s'assoit devant Robin. Il penche la tête et fait d'étranges petits sons. Il ressemble à une grosse peluche.

— Réglisse te demande une caresse, nous informe Zoé.

— Pas question, répond Robin, en reculant.

— Il ne te fera rien. Mets ta main sous son museau. Il va te sentir et comprendra que tu n'as pas d'agressivité.

Le chien regarde Robin. On dirait qu'il veut vraiment une caresse de lui. Mon ami se décide et approche sa main du museau de Réglisse. Puis, courageusement, il touche le

cou du chien. Ça plaît à l'animal, puisqu'il lèche la main de Robin.

— Hein ! Vous avez vu ? s'exclame mon ami, ébahi.

— Tu as peur des chiens et des araignées, mais pas des chiens araignées, dis-je, un peu étonné.

J'ai une bonne idée.

— Si vos chiens sont sages comme ça, ils pourraient venir avec nous quand on passera à l'Halloween. Vous deux aussi, bien sûr.

— Quoi ! s'exclame Julie. Et Robin, lui ?

C'est là que mon copain nous surprend tous.

— Je crois qu'ils me font moins peur. Votre programme de désensibilisation fonctionne. Pour les chiens, en tout cas.

— Youpi ! s'écrie Zoé. Nos toutous sont gentils, mais ils ont beaucoup d'énergie.

— Vous les encouragez à courir après les vélos, remarque Alex.

— Ça nous amuse de voir les gens paniquer.

— Ce n'est pas charmant de votre part, ajoute Julie.

— Promis, juré, ils vous laisseront tranquilles.

Tiendront-elles parole ? Je consulte mes copains du regard. Ils ont l'air enthousiastes.

— Alors, à l'Halloween, nous serons six pour ramasser des bonbons.

— Huit, avec les araignées chiens, reprend Zoé.

— On se déguisera en mouches ! déclare Julie.

Je réplique vivement.

— Non ! Pas moi. Je serai en nain de jardin. J'en ai assez de ces mouches qui mangent mon ketchup !

— Et moi en araignée monstre ! s'exclame Robin. Comme ça, je serai la plus grosse de toutes et elles ne pourront plus me faire peur.

C'est quoi, Maboul ?

Quand tu commences à lire, c'est parfois difficile.

Avec **Boréal Maboul,** ça devient facile.

- Tu choisis les séries qui te plaisent.
- Tu retrouves tes héros favoris.
- Les histoires sont captivantes.
- Les chapitres sont courts.
- Les mots et les phrases sont simples.
- Les illustrations t'aident à bien comprendre l'histoire.

Ce livre a été imprimé sur du papier 30 % postconsommation,
certifié ÉcoLogo et fabriqué dans une usine fonctionnant au biogaz.

Les Éditions du Boréal
4447, rue Saint-Denis
Montréal (Québec) H2J 2L2
www.editionsboreal.qc.ca

MISE EN PAGES ET TYPOGRAPHIE :
LES ÉDITIONS DU BORÉAL

ACHEVÉ D'IMPRIMER EN FÉVRIER 2017
SUR LES PRESSES DE L'IMPRIMERIE GAUVIN
À GATINEAU (QUÉBEC).